EDITORA POSITIVO

PROJETO ZEPELIM
DESCOBRINDO O PRAZER DA LEITURA.

Confabulando

O quarto pato

1ª edição | 2008
4ª impressão

Índigo
ilustrações Guazzelli

Dados Internacionais para Catalogação na Publicação (CIP)
(Mônica Catani M. de Souza / CRB9-807 / Curitiba, PR, Brasil)

I39 Índigo.
O quarto pato / Índigo; ilustrações Guazzelli. Curitiba: Positivo, 2008.
32 p.: il. — (Coleção Confabulando).

ISBN 978-85-7472-912-1

1. Literatura infantojuvenil. I. Guazzelli. II. Título. III. Série.

CDU 82.053-2

PROJETO EDITORIAL:
EDITORA POSITIVO
Gerente editorial: Vitória Rodrigues e Silva
Editor responsável: Marcelo Del'Anhol
Consultoria e avaliação de originais: Marta Morais da Costa

DESENVOLVIMENTO EDITORIAL:
EDIÇÕES JOGO DE AMARELINHA
GARAGEM EDITORIAL
Coordenação editorial e de produção: Leonardo Chianca e Henrique Félix
Preparação de original: Rodrigo Petronio
Projeto gráfico e edição de arte: Casa Rex
Diagramação: Casa Rex
Revisão: Rita Narciso Kawamata

Rua Major Heitor Guimarães, 174
80440-120 — Curitiba — PR
Site: www.editorapositivo.com.br
Fale com a gente: 0800 723 68 68

Impressão e acabamento:
Gráfica Posigraf S. A.

Impresso no Brasil
1 2 3 4 5 6 7 8 9 10 12

2010

EDITORA POSITIVO

Era uma vez, não muito longe daqui, uma pata chamada dona Jandira, casada com um pato conhecido como doutor Jânio. Eles levavam uma vidinha bem tranquila, moravam num sítio com um lago gostoso, jardim de rosas, uma horta de produtos orgânicos, piscina e até um forno a lenha para fazer pizza.

Os donos do sítio eram gente da cidade. Iam para lá nos finais de semana para curtir um pouquinho de vida natural. Durante a semana, o casal de patos e o resto da bicharada ficava aos cuidados do caseiro. O resto da bicharada era: um casal de cisnes belíssimos e arrogantes,

dois cachorros escandalosos que serviam de alarme de segurança, um gato gordo e dorminhoco, um papagaio malandro e três galinhas ciumentas que disputavam um galo vaidoso.

No sítio Primavera também vivia uma quantidade incalculável de passarinhos de todos os tipos, que iam e vinham de uma propriedade para a outra, sem dar a mínima para as cercas de arame.

Esta história começa no dia em que dona Jandira teve sua quarta ninhada. Era um dia ensolarado, coisa que a mamãe-pata interpretou como bom sinal. O primeiro patinho a rachar a casca ganhou o nome de Reinaldo. Depois veio Raica. O terceiro foi Rodney. Para cada um que botava a cabeça para fora, dona Jandira dava um suspiro. Eram perfeitinhos! Doutor Jânio apertava a asa da esposa, orgulhoso.

Esperavam o quarto ovo, mas nada aconteceu. Doutor Jânio encostou a orelha na casca. Ouviu o coração acelerado do filho e sussurrou:

– Vamos lá, filhão.

Esperaram, esperaram e esperaram. Os outros três patinhos já saltitavam serelepes de um lado para o outro, muito impressionados com a luz do sol e o cheiro de mato. Dona Jandira pediu ao marido que ficasse de olho no quarto ovo. Ela precisava cuidar dos recém-nascidos.

Passaram-se dois dias e o quarto ovo nem se abalou. Parecia uma pedra branca, pontuda.

– Coisa estranha... – comentou doutor Jânio com a esposa.

– Vamos esperar mais um dia. Se não rachar, a gente chama o caseiro.

Naquela noite os sapos estavam a mil. Talvez pelo calor que fazia, talvez pela lua cheia... Cantavam como se quisessem ser mais que sapos no brejo. Era uma cantoria pretensiosa, de anfíbio inconformado. Então, à meia-noite exata, o ovo rachou. Dona Jandira acordou assustada. Cutucou o marido:

– Você ouviu?

Sonolento, doutor Jânio se levantou. Encontrou a esposa petrificada em frente ao ninho, os olhões arregalados. Daí ele também viu e, por alguns instantes, perdeu o fôlego. Passou a asa ao redor dos ombros da esposa e a trouxe para perto de si, num gesto protetor.

Entre as cascas espalhadas pelo ninho estava a criatura mais horrenda que já tinham visto na vida. Mal dava para acreditar que fosse pato. O que era aquilo?!

Os dois ficaram esperando o típico "quack!" que alegra o coração dos pais. Em vez disso, veio um "brrrugh, brrrrugh, brrrrugh".

– Minha nossa senhora!

Dona Jandira tremia.

No dia seguinte o céu amanheceu carregado. Reinaldo, Raica e Rodney estavam prontos para sair e brincar quando um raio caiu no velho pé de jabuticaba. A árvore pegou fogo. Os patinhos correram para baixo da asa de dona Jandira. O segundo raio foi acompanhado de uma tempestade violenta, dessas de filme de terror.

Dona Jandira tentou de tudo para impedir que os filhotes conhecessem o irmão, mas sabe como é pato novinho em dia de chuva... É igual criança. Ficam entediados, procurando qualquer coisa para fazer. Logo perceberam que o ovo do irmãozinho havia rachado.

– Cre-do! – gritou Reinaldo.

– Que bicho feio! – gritou Rodney.

– Mãe! – gritou Raica. – Mãe! Tô com medo!

Foi assim que Raul foi recebido pelos irmãos. Minutos depois, dona Jandira ouviu uma gritaria. Encontrou os três filhos cutucando o caçula, cada um atiçava por um lado. Reinaldo puxava as penas do rabo enquanto Rodney cutucava o bico torto do irmão com uma vareta. Raica vinha correndo, dava um peteleco na testa de Raul e voltava a se esconder.

– O que vocês estão fazendo? – perguntou dona Jandira.

Os três patinhos abriram sorrisos falsos:

– Brincando.

A mamãe-pata fez um carinho na cabeça de Raul. Estava determinada a amar o filho esquisito de qualquer maneira. Durante a noite ela tinha conversado com doutor Jânio. Os dois eram patos esclarecidos, ao contrário dos patos de antigamente. Tivesse isso acontecido tempos atrás, Raul teria sido rejeitado, sem dó. Antiga-

mente, na hora em que a mamãe-pata visse um bicho estranho daqueles no seu ninho, teria dado as costas sem pensar. Tempos cruéis...

Dona Jandira avisou aos patinhos que não queria nada de bagunça e voltou aos seus afazeres, como se tudo aquilo fosse normal, ignorando a estranheza do filho caçula.

No dia seguinte, o sol voltou a brilhar no sítio, o céu estava novamente azulzinho e dona Jandira deu um longo assobio. Reinaldo, Rodney e Raica foram correndo para junto da mãe. Aprenderiam a nadar! Um momento emocionante para qualquer patinho. É o equivalente ao dia em que um filhotinho de águia aprende a alçar seu primeiro voo, ou que um golfinho aprende a dar aquelas cambalhotas de corpo inteiro para fora do mar.

– Vamos, Raul! – gritou dona Jandira.

Raul não estava muito animado para entrar na água. A luminosidade intensa o incomodava. Fora que... ele tinha um pressentimento ruim.

— Vamos, mãe. Larga ele aí — disse Raica.

Reinaldo e Rodney já iam longe. Molhavam a ponta das patas na beirinha do lago e espirravam água um no outro, rindo à toa. Que sensação estranha teve dona Jandira! Por um lado, alegrava-se com a euforia dos filhos no lago. Por outro, ao ver Raul encolhido na sombra, sentia o coração gelado. O jeito foi pedir ajuda ao marido.

Doutor Jânio largou o trabalho e voltou imediatamente para casa. A sociedade dos patos é supertradicional. Machos trabalham fora, fêmeas cuidam dos filhos. Assim, quando ele largou o batente às dez da manhã, todos souberam que se tratava de coisa grave. Doutor Jânio chegou em casa com jeito preocupado, ouviu o caso e foi conversar com Raul. Minutos depois pai e filho estavam na beira do lago, estudando o movimento da água.

Raul sentia muitas vontades. Vontade de fazer xixi, de chorar, de sair correndo, de se esconder, de cobrir os olhos e enterrar a cabeça na terra, feito avestruz. Doutor Jânio resolveu que teria de dar uma mãozinha. Empurrou o filho para mais perto da água enquanto dizia algumas palavrinhas animadoras: "não dói nada", "é gostoso, você vai ver", "depois que você entra, é uma delícia". Mas nada disso parecia funcionar. Doutor Jânio teve de empurrar cada vez mais forte. Dona Jandira foi ajudar.

Jamais houve cena igual no sítio Primavera. O estranho pato teve de entrar à força no lago. Assim que molhou as patas, Raul teve um ataque histérico. Começou a guinchar feito um porco. Doutor Jânio afundou a cabeça do filho. Reinaldo e Rodney, nadadores natos, vieram ajudar. Deram vários caldos no irmão. Quem visse, pensaria que estavam se matando. Raul se agarrava ao pescoço dos irmãos e pedia pelo amor de Deus para pararem com aquilo, engolia água, engasgava e virava os olhos. Um horror...

Naquela tardinha, depois da janta, o casal de cisnes veio visitar a família dos patos. O assunto, claro, era a teimosia de Raul. Reinaldo, Rodney e Raica contavam e recontavam o caso como se fosse a coisa mais engraçada do mundo. O comentário do casal de cisnes, muito elegantes e discretos, foi que nunca tinham ouvido falar em coisa igual.

– Que patinho mais diferente...

– Amanhã a gente tenta de novo, né, filhão? – disse doutor Jânio.

Uma única coisa ocupou os pensamentos de Raul durante aquela madrugada: "amanhã a gente tenta de novo". Raul suava frio. Um dia a mais no meio daquela família de malucos seria a morte. Nos poucos momentos em que pegou no sono, sonhou com lagos que entravam por baixo da porta e subiam na sua cama, oceanos que começavam a crescer, crescer, e invadiam o sítio Primavera. Tudo era água sombria e profunda. Enquanto patos, porcos, cisnes e até gatos nadavam felizes, Raul era tragado para o fundo da lagoa. Acordou com o coração saindo pelo bico.

No dia seguinte, antes de o galo cantar, Raul já havia dado no pé.

Ele não tinha destino certo. Passou por baixo da porteira, pegou a estrada de terra e foi seguindo pelo cantinho, junto ao barranco. De vez em quando passava uma caminhonete. Raul rapidamente se escondia no meio da moita. Levava respingos das poças da estradinha. Depois de uma hora de caminhada, estava marrom. Achou bom. Quem é que consegue enxergar um pato marrom numa estrada de terra? Há! Aquele seria um bom disfarce. Talvez fosse a solução dos seus problemas. Raul agora andava livre pelo mundo, sob uma espécie de manto de invisibilidade.

Quanto mais se afastava do sítio Primavera, mais Raul se alegrava. Chegou até a assobiar um sambinha. Não sentia saudades de casa. Nem um pingo. Quando lembrava da família, tudo que lhe vinha à mente eram os momentos de agonia. Sim, ele tinha feito bem em fugir...

Ao cair do dia, morto de cansaço, Raul decidiu que entraria no primeiro sítio que aparecesse. Passou por baixo da porteira e teve uma surpresa. Ele havia entrado numa fazenda comercial. As vacas eram brancas, gordas e sérias. De cara, Raul soube que ali também não era lugar para ele. Assim que amanhecesse, daria o fora. Encontrou uma pedra e caiu num sono pesado, e merecido.

Naquela noite Raul não sonhou. Tampouco teve pesadelos. Já era um progresso. Ao acordar, levou alguns segundinhos para se dar conta de que agora era um pato foragido, sem casa, comida nem família. Primeiro, sentiu um leve desânimo. Lembrou das minhocas fresquinhas que dona Jandira servia aos filhos, logo que despertavam. Mas em seguida Raul tomou coragem e levantou. Sim, um foragido! Não podia ficar todo chororô, sentindo saudades da mamãe. Isso não é comportamento de foragido.

Raul foi à caça. Subiu numa pedra e olhou tudo em volta. Avistou, nos galhos secos de uma árvore retorcida, um pássaro com aspecto importante. Sua plumagem era belíssima, toda pintada. Uma pintura sofisticada. Tinha um olhar astuto e sincero. Era uma perdiz. E qual não foi a surpresa de Raul quando a perdiz de repente levantou voo e aterrissou ao seu lado!

– Oi! – disse Raul, desajeitado.

A perdiz seguia olhando para o horizonte, nem virou o rosto. Raul estendeu a asa:

– Meu nome é Raul.

– Eu tenho uma coisa muito importante para lhe dizer – disse a perdiz, indiferente a ele.

Raul imediatamente calou o bico. O que seria? A perdiz respirou fundo e fechou os olhos. Ela parecia mesmo muito poderosa.

– É sobre sua verdadeira identidade – disse.

Então a bela perdiz foi virando lentamente a cabeça em direção a Raul. Seus olhos se encontraram, e ela caiu dura para trás. Ploft.

– Ei! Você está bem? Se machucou?

Raul pulou da pedra e foi ver. O bicho estava estirado no chão. Morto. Raul pensou que, de alguma maneira, tinha sido culpa dele. Mas como?

Segundos depois, houve uma barulheira. Cachorros latindo, homens gritando, cavalos trotando. Raul saiu correndo em direção ao mato. Ele estava no meio de uma caçada!

Raul viu a boca de um cachorrinho marrom e branco se abrir e suspender o corpo da perdiz. Viu cachorros farejarem tudo ao redor da pedra e viu as patas dos cavalos amassando a grama ainda coberta de orvalho. Raul teve medo, mas também sentiu fome. Uma fome como nunca havia sentido antes. Sua vontade era de correr atrás do cachorro e arrancar a perdiz da boca dele. Ele sentiu vontade de comer uma coxa de perdiz!

"Cruz-credo. Devo estar ficando louco. É melhor eu encontrar um café da manhã e parar de pensar besteira. Eu, hein!"

Durante dias, Raul andou feito um zumbi. Estava chocado com a cena que havia testemunhado. Também estava encucado. Perguntava-se o que a perdiz quis dizer com “verdadeira identidade”.

Nos dias em que andou sem rumo pelo mundo, Raul viveu de comer minhocas. Para cada minhoca que comia, sua fome só aumentava. Elas eram como aperitivos. Seu estômago parecia lhe mandar sinais. Sinais para que ele fosse além. Nessas horas, Raul se lembrava do gostinho de coxa de perdiz. Coxa que ele não tinha provado! Era tudo muito estranho. A cada dia Raul se achava mais estranho. Comportava-se de um jeito estranhíssimo. Quando passava por um lago e via famílias de patos nadando, felizes, tinha calafrios. Preferia se cobrir de lama e seguir vivendo na invisibilidade.

Sem pai nem mãe para lhe ensinar as coisas da vida, Raul passou a seguir seus instintos. Nunca mais entrou num lago, passou a acordar depois do meio-dia e só ia dormir de madrugada. Desistiu de tentar fazer "quack, quack" ao avistar um semelhante. E por fazer conforme lhe desse vontade, sem perceber Raul bateu asas e saiu voando. Foi subindo. Cada vez mais alto, mais alto.

Ao alcançar as nuvens, olhou para baixo e pensou: "Meu Deus! O que foi que eu fiz?". Pensou no que doutor Jânio diria: "O que é que esse menino está fazendo lá no alto?!". Continuou batendo as asas mesmo assim. Sentia-se bem.

Raul parou de bater as asas e ficou planando, curtindo uma sensação gostosa, tranquila. Finalmente, Raul estava feliz.

A partir desse dia, sempre que batia aquela fome devastadora, que minhoca nenhuma era capaz de saciar, Raul voava por aí. Das primeiras vezes, conseguiu ignorar a fome louca, mas, conforme voar se tornava uma coisa trivial, o truque deixou de surtir efeito. Sua barriga roncava cada vez mais alto. Seria lombriga? Raul tinha de fazer um esforço enorme para não pensar no assunto. Tombava para a direita, para a esquerda, feito uma asa-delta, até que um belo dia ele farejou, lá das alturas, um cheirinho de comida boa, quentinha, fresca e muito, muito apetitosa. Raul não resistiu. Mergulhou a cabeça e desceu feito um cometa. Devia ser uma bela de uma minhocona suculenta. Daquela altura, não dava para enxergar direito.

Porém, ao aterrissar, Raul constatou que não era minhoca, mas uma carcaça de boi.

Finalmente, Raul matou a fome que o devorava por dentro.

Depois de saciado, levou um susto:

“Oh! O que foi que eu fiz?!”

Num lago ali perto, uma família de patos voltava de uma manhã de natação. A visão dos patos branquinhos, sorridentes e com jeito saudável fez com que Raul se sentisse como um monstro.

Raul levou as asas aos olhos e saiu correndo. Precisava sumir dali. Mas não chegou a correr muito. Logo trombou em algo. Abriu os olhos e teve a visão mais emocionante de sua vida. Estava diante de um urubu.

Ele era alto como uma criança e forte como um poste. Perto dele havia outros urubus menores. Antes que o grande urubu abrisse o bico, Raul já sabia.

Ele também era urubu.

Até então sua vida tinha sido um grande engano. De repente, tudo fez sentido: as alturas, a lama, a fala interrompida da perdiz, o medo da água, a fome insaciável.

Raul esticou as asas e decolou na companhia dos seus.

Raul, o urubu.

A autora | Índigo

Comecei minha trajetória na literatura em 2001, com o livro *Saga animal*. Desde então escrevi mais de dez livros, muitos deles com personagens animais, como *Um dálmata descontrolado* e *Cobras em compota*, que foi vencedor do I Concurso Literatura para Todos, do Ministério da Educação.

Algo que me interessa muitíssimo são as fábulas. Em *O livro das cartas encantadas*, eu inventei uma correspondência entre Branca de Neve, Cinderela e Bela Adormecida. Agora, em *O quarto pato*, pude juntar o formato de fábula com meu tipo favorito de personagem! Quack quack!

O ilustrador | Guazzelli

Nasci em Vacaria, Rio Grande do Sul, no ano de 1962. É uma cidade brasileira onde eventualmente neva. Talvez isso tenha me levado a gostar de rabiscar paisagens. Formado em Artes Plásticas, cultivo a mania de transitar pelas linguagens dos quadrinhos e do desenho animado, o que já me rendeu alguns prêmios, exposições e viagens pelo nosso planeta. Atualmente resido em São Paulo, onde atuo como ilustrador e diretor de arte para cinema de animação, além de frequentar um mestrado na Universidade de São Paulo. Mas o que eu gosto mesmo é desenhar. Férias para mim só têm a diferença de não ter compromisso, porque o bloco e as canetinhas me acompanham sempre. Por isso, fazer este livro foi um prazer, principalmente pelo desafio de não mostrar o protagonista. Se por um lado essa situação original do texto me fez suar bastante, por outro lado a solução desse problema foi a deixa pra fazer o que mais gosto: rabiscar paisagens.